Koen en Lot

Een klap voor je kop

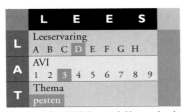

L	**E**	**E**	**S**
L	Leeservaring A B C D E F G H		
A	AVI 1 2 3 4 5 6 7 8 9		
T	Thema pesten		

Toegekend door KPC Groep te 's-Hertogenbosch.

ISBN 90 269 9602 0

© 2002 Uitgeverij Van Holkema & Warendorf,
Unieboek BV, Postbus 97, 3990 DB Houten
www.unieboek.nl
www.mariannebusser-ronschroder.info
Tekst: Marianne Busser en Ron Schröder
Tekeningen: Dagmar Stam
Vormgeving: Petra Gerritsen/Bertil Merkus

Marianne Busser en
Ron Schröder

Koen en Lot
Een klap
voor je kop

Met illustraties van

Dagmar Stan

Van Holkema & Warendorf

De school is uit.

Tom loopt op het plein.

Hij kijkt naar de grond.

Hij is bang.

En ja, hij hoort het al.

'Kijk, daar is Tom,' zegt Bert.

'Kom op, we gaan naar hem toe.'

De groep roept:

Tom is stom!

Tom is dom en

stom!

Tom beeft.

'Hou op!' zegt hij boos.

Bert lacht.

'Niks hou op.

Wil je een klap voor je kop?'

Hij geeft Tom een stomp in zijn
buik.
De groep lacht.
'Ha ha! Tom is
stom... Tom is stom.'
Jan geeft Tom nog
een schop.
En dan gaan ze weg.

Lot komt uit school.
Ze is bijna thuis.
Dan ziet ze Tom.
'Dag!' zegt ze.
'Hoe heet jij?'
Tom kijkt boos naar Lot.
'Tom,' bromt hij.

'Ik heet Lot,' zegt Lot.
'Waar woon jij?'
Tom haalt zijn schouders op.
Dan wijst hij naar een huis.
'Daar,' zegt hij nors.

Lot is verbaasd.
'Wat doe je raar.
Wat is er aan
de hand?'
'Niks,' zegt Tom
nu heel kwaad.
'En hou nu maar op.
Wil je een klap voor je kop?'
Tom doet net of hij Lot wil slaan.
Lot schrikt.
'Ik ga al weg,' zegt ze boos.
'Stom joch.'

Koen speelt bij Lot.

Ze staan voor het raam.

Dan zien ze Tom op straat.

Hij kijkt weer naar de grond.

'Wie is dat?' vraagt Koen.

'Dat is Tom,' zegt Lot.

'Hij woont hier in de straat.'

'Waar dan?' vraagt Koen verbaasd.

'In dat huis dat leeg stond,'

zegt Lot.

'Leuk,' roept Koen.

'Nog een kind er bij in de straat.'

'Nou,' zegt Lot.

'Tom is niet zo leuk.

Hij is altijd kwaad.

Hij gaf me bijna een klap.

En ik deed niks.'

Koen denkt na.

'Tom zit niet bij ons op school.'

'Nee,' zegt Lot.

'Hij zit op die school om de hoek.

En dat is maar goed ook.'

'Ja,' zegt Koen.

'Ik wil geen stom kind in de klas.'

9

Tom belt aan.
Zijn moeder doet open.
'Kom binnen!' roept ze blij.

Tom trekt zijn jas uit.
'Wil je thee?' vraagt mam.
Tom knikt.
Hij gaat op de bank zitten.
'Hoe was het op school?'
'Goed, hoor,' zegt Tom.
Zijn moeder kijkt hem aan.
'Ben je soms ziek?
Ik vind je vaak zo stil.'
'Ik ben niet ziek,' bromt Tom.

Tom zit op de rand van zijn bed.
Hij staart voor zich uit.
Het ging weer fout op school.

Hij schuift zijn broek omhoog.
Zijn knie is blauw.
En op zijn been zit bloed.
Tom veegt het bloed met een doek
weg.

Tom staat voor het raam.
Hij ziet een groepje op het veld
staan.
Er is niemand van zijn school bij.
Wel een jongen uit de straat.
Hij heeft een bal bij zich.
De jongen schiet de bal weg.
De groep rent er keihard achter
aan.

Was ik maar net als zij, denkt
Tom.
Kon ik ook maar mee doen.
Hij kijkt nog eens.
En dan denkt Tom: waarom niet?
Ik ga ook naar buiten.
Hij rent de
trap af en
trekt zijn jas
aan.

Tom staat op
de stoep.
Hij ziet de groep op het veld.
Toch maar niet, denkt hij bang.
Ik durf niet.
Tom gaat snel achter de heg zitten.
Hij huilt.

Daan schiet de bal keihard weg.
De bal vliegt de straat van Koen
in.
'Komt goed uit!' roept Koen.
'Ik moet toch naar huis.
Dan neem ik de bal meteen mee.'

Koen pakt zijn jas van het gras.
En dan rent hij de straat in.
Hij kijkt goed om zich heen.
Maar de bal ziet hij niet.
Koen hoort wel iets.
Het lijkt op huilen.

Koen loopt naar de heg.
Achter de heg zit Tom op de grond.
Koen schrikt.
'Waarom huil je?' vraagt hij.

Tom schrikt ook.
Hij veegt snel een traan weg.
'Ga weg,' roept hij kwaad.
Maar Koen gaat niet weg.
Hij blijft staan.

15

'Waarom huil je?' vraagt Koen nog
eens.
Tom kijkt op.
'Het is niet leuk op school.
Ze pesten me.'
'Waarom?' vraagt Koen.
'Weet ik niet,' snikt Tom.
'Ik heb niks gedaan.

Ze slaan en schoppen me.
Op mijn oude school was het wél
leuk.
Maar hier niet.'

'Wat rot voor je,' zegt Koen.
Hij vindt het heel erg voor Tom.
'Kom je morgen ook op het veld?
Dan haal ik je op.'
'Dat wil ik wel,' zegt Tom zacht.
'Tot morgen dan,' zegt Koen.
En dan loopt hij weg.

'Je bal ligt daar,' roept Tom nog
snel.
'Bij die boom!'
Koen lacht.
'Dank je wel,' roept hij.

De school is weer uit.
Koen gaat naar Lot.
'Kom je buiten?' vraagt Koen.
'Goed,' zegt Lot.
Ze trekt haar jas aan.

'Ze pesten Tom,' zegt Koen.
'De klas van Tom pest hem.'
'Waarom?' vraagt Lot.
'Gewoon,' zegt Koen. 'Zo maar.'
Lot schrikt.

'Wat erg,' zegt ze.
'Dus daarom kijkt Tom zo kwaad.'
'Ja,' zegt Koen.
'Tom is niet stom.
Zijn klas is stom.
Ze slaan en schoppen hem.
Tom is bang om naar school te
gaan.
Het is gemeen.'

'Kom,' zegt Koen.
'We gaan naar Tom.
We halen hem op.
Dat heb ik beloofd.'
'Ja,' zegt Lot blij.
'Dat doen we.'

Koen en Lot gaan naar
het huis van Tom.
Tom doet open.
Hij kijkt weer kwaad.
'Wat is er?' vraagt hij.
'Ga je mee naar het veld?' vraagt
Lot.
'Dat zou leuk zijn.'

Nu lacht Tom.
'Ja,' zegt hij. 'Ik ga mee.'

Hij trekt zijn jas aan.
Dan roept hij naar binnen:
'Mam, ik ga naar het veld.'
'Wat leuk!' roept zijn moeder.
'Veel plezier.
En om zes uur thuis, Tom.'

Koen en Lot en Tom zitten op het gras.

'Eerst vond ik je stom,' zegt Lot.

'Je deed steeds zo kwaad.

Je riep: wil je een klap voor je kop?

Ik dacht dat je mij niet leuk vond.'

'Dat was het niet,' zegt Tom.

'Ik was kwaad op de klas.

En kwaad op alles.

Het is niet leuk op school.'
'Ja,' zegt Lot.
'Nu snap ik het wel.'

Tom begint weer te huilen.
'Ik wil niet meer naar school,'
snikt hij.
Lot slaat een arm om Tom heen.
'Stil maar,' zegt ze.
'Stil maar, Tom.
Je hoort nu bij ons.'

'Ik weet wat!' roept Koen.
'Kom bij ons op school.'
Tom zegt niets.
Hij kijkt naar de grond.
'Dat kan vast niet,' zegt hij zacht.

Lot springt op.

'Kom,' zegt ze.

'We gaan het aan je moeder
vragen.

Dan mag je vast wel bij ons op
school.'

Tom schrikt.

'Nee!' roept hij.

'Dat wil ik niet.

Mijn moeder weet het niet.

Ze weet niet dat ze me pesten.

Dat vindt ze vast heel erg.

En dat wil ik niet.'

'Doe niet zo dom,' zegt Koen.

'Je moeder wil je vast wel helpen.'

'Ja,' zegt Tom.

'Maar toch wil ik het niet.'

'Jammer,' zegt Lot.
'Maar kom je morgen wel naar het veld?'
Tom knikt.
'Als de school uit is,' zegt hij.
Koen lacht.
'Wij hebben morgen vrij.'
'Ik wou dat ík vrij had,' zegt Tom.
En dan gaat hij naar huis.
'Tot morgen,'
roepen Koen en Lot.

Lot is bij Koen.

'Leuk dat we vrij zijn,' zegt Koen.

'Jammer dat Tom naar school
moet.'

'Ja,' zegt Lot.

'Ik vind het zo zielig voor Tom.
Zullen we tóch naar zijn moeder
gaan?

Ze wil Tom vast graag helpen.'

'Best een goed plan,' zegt Koen.

'Kom op, we gaan meteen.'

Koen en Lot gaan naar het huis
van Tom.

De moeder van Tom doet open.

'Wij zijn Koen en Lot,' zegt Lot.

De moeder lacht.

'Wat leuk,' zegt ze.

26

'Kom binnen.
Maar Tom is naar school, hoor.'
'Dat geeft niet,' zegt Koen.
Koen en Lot
stappen de
gang in.
En dan gaat de
deur dicht.

Na een uur gaat de deur weer
open.
Koen en Lot gaan weg.
'Nu snap ik het,' zegt de moeder
van Tom.
'Daarom was Tom zo stil.
Ik ben heel blij dat ik het weet.
Nu kunnen we Tom helpen.
Dank je wel, Koen en Lot.
Jullie zijn erg lief voor Tom.'

Na school komt Tom naar het
veld.
Koen en Lot zijn er al.
Koen heeft zijn bal bij zich.
'Niets zeggen, hoor,' zegt Koen
snel.
'Tom mag het niet weten.'

'Nee,' zegt Lot.
'Dat snap ik ook wel.
Ik ben écht niet dom, hoor!'

'Vang!' roept Tom.
Lot rent naar de bal en vangt hem
op.
Tom lacht.
'Knap gedaan,' roept hij.
'Dacht ik ook,' zegt Koen.
'Lot is écht niet dom, hoor!'

Er is al weer een maand voorbij.
Het is druk op het schoolplein.
Lot is de tikker.
Ze rent het plein rond.
'Tik!' roept ze.
'Je bent af, Daan.'
Daan gaat aan de kant zitten.

Dan rent Lot op Koen af.
Maar Koen is haar te snel af.
Dan Tom maar, denkt Lot.

Lot rent achter Tom aan.
'Wil je een klap voor je kop?' roept
ze.
Tom moet lachen.
'Nee, dank je,' roept hij naar Lot.
'Wil **JIJ** soms een klap voor je
kop?'
'Doe maar niet,' roept Lot terug.
'Nee,' zegt Tom. 'Dat doe ik niet.
Daar ben je veel te lief voor, Lot.'
En dan rennen ze vrolijk de
school in.

Een boek voor jou

Dit boek is voor jou.
Omdat je net kunt lezen.
Knap hoor!

Lezen is leuk.
En schrijven ook.
Wij schrijven veel boeken.
Ook dit boek over Koen en Lot.

Koen is ons neefje.
En Lot is ons eigen kind.
Ze heet Liselotte.
Maar we noemen haar vaak Lot.
(Vooral als ze stout is.)

Koen en Lot hebben dit boek gelezen.
Zij vonden het een leuk verhaal.
En nu maar hopen dat jij dat ook vindt!

Veel liefs en een kus,

Marianne Busser en Ron Schröder